Kimura Yoshihito(8PHOTO)

3

SHONAN BOOK

湘南ブック ISSUE 02

CONTENTS

特集 時間

08 対談

齊藤未月 × 石原広教
2020年の決意

16 対談

石原直樹 × 梅崎 司
心強い存在

24 座談会

大野和成 × 山田直輝 × 岡本拓也
5年目の抱負

34 座談会

古林将太 × 松田天馬 × 鈴木冬一
湘南ベルマーレの90分
3つの見どころ 攻撃編

44 座談会

富居大樹 × 福田晃斗 × 坂 圭祐
湘南ベルマーレの90分
3つの見どころ 守備編

52 対談

岩崎悠人 × 金子大毅
3年後の再会

60

全選手アンケート
自宅での楽しい過ごし方は？

Kimura Yoshihito（8PHOTO）

Saito Mitsuki
Ishihara Hirokazu

対談 **齊藤未月 × 石原広教**

2020年の決意

昨シーズン、齊藤未月は湘南ベルマーレでリーグ戦26試合に出場、
石原広教は期限付き移籍先のアビスパ福岡でリーグ戦37試合に出場した。
幼い頃から同じチームで互いに競い合い
再びベルマーレで戦うことになった2人が抱く決意とは？

取材・文=隈元大吾　Words by Kumamoto Daigo
写真=鷹羽康博、木村善仁（8PHOTO）　Photography by Takaba Yasuhiro, Kimura Yoshihito（8PHOTO）

期待値以上の答えを出さなければいけない

——幼稚園の頃から一緒にサッカーをやってきた幼なじみの2人にとって、違うチームでプレーしたのは去年が初めてですか？

齊藤　サッカー人生で初ですかね。

石原　一瞬あったぐらいじゃない？　藤沢FCから湘南ベルマーレジュニアに入るまでの2、3カ月ぐらい。

齊藤　そうだね。広教のほうが一瞬先に湘南に入ったから。

石原　でもほんと数カ月だったもんね。半年もなかったから。

齊藤　うん。だからその時はあまり感じなかった。

——昨年初めて長い期間離れてみて、いつもと感覚は異なりましたか？

石原　まあ連絡は取り合っていたので。

齊藤　そう、広教は僕らのことが気になるし、逆に僕らは他のチームのことを知らなかったから、「環境を変えてどうなの？」みたいな話はしてましたね。広教はこっちに帰ってきてもいたし、スギちゃん（杉岡大暉／現鹿島アントラーズ）も金子（大毅）もいたからみんなで会うこともあったし。J2のほうが先にシーズンが終わって、僕らはプレーオフまで行ったから、アウェーもホームも湘南の試合を見に来てくれてたしね。

石原　去年たぶん5試合ぐらい行った。サガン鳥栖のアウェーとか近かったし。

齊藤　湘南のホームも来てたし。

石原　最後のプレーオフの2つも行ったしね。

——今シーズン、1年ぶりに再会して、お互いに変化は感じますか？

齊藤　広教は去年アビスパ福岡で40試合近く出場してるから、上から目線に聞こえるかもしれないけど、相当成長して帰ってきたと感じます。うちにいたおととしまでは、試合に出るのが連続的ではなかったから、良くないミスが多いイメージもあったんですけど、今はそういうミスがほぼないし、自分の良さを分かった上で、縦に突破してクロスを上げるプレーとかにこだわりも感じる。J1で試合に出ても普通に活躍できると思うし、サイドのプレーヤーとして成長していると思います。

——ということですが。

石原　まあ、そのまんまじゃないですか（笑）。それこそ湘南の1、2年目はたぶんプレーに迷いもあっただろうし、公式戦で横パスを取られて失点するようなミスもあった。でも今は場面ごとにやるべきプレーや最善の選択ができるようになってきている。試合を重ねるごとにいろいろ経験で

MF #16
Saito Mitsuki

立ち位置が変わってきているという自覚がある

きたし、たくさん試合に出られたことが大きいかなと思います。

―― では石原選手から見て齊藤選手の変化は感じますか?

石原　でもずっと見てなくて今年になったわけじゃないですからね。試合は去年ほぼ見ていたから、そんなに……。

齊藤　確かにね。

石原　昔の未月を考えたら、攻撃の起点になってボールを散らしたりゲームをつくったりするところはかなりできるようになったと思う。ボールを奪うことや追い掛けまわすことは1年目から間違いなく通用していたけど、それ以外の、ボールを持って起点になるところがここ数年で相当成長した。ボランチとしてJ1でもトップレベルでやれてると思うし、代表でも活躍して世間から注目される選手になった。早い段階でどんどん上に行けてるのはすごいと思います。

齊藤　確かに注目度は上がったけどね。

石原　だいぶ上がってるでしょ。

齊藤　それは感じる。特に僕らの代はオリンピックがあるしね。注目されるのは悪いことじゃないと思うし、アスリートとしてはそれを生涯継続できることがベストだし、期待値以上の答えを出さなければいけないという感覚もある。何か話題が出た時にチームで最初に話を聞かれる選手になってきてるかなと思うし、間違いなく1年目の時とは立ち位置が変わってきているという自覚がある。でも評価するのは監督であり、味方の選手であり、他のチームの選手。注目度が先行して、「あいつそんなに大したことないのに」と思われるのが僕としては一番悔しいので、それを上回るものや自分のストロングを出さなければいけないと感じます。

やっぱりお互い数字のところが大事

―― 齊藤選手の成長は刺激になりますか?

石原　なりますね。杉岡とかもそうですけど、同年代の選手が活躍して注目されていくのはうれしいことだし、もちろん負けていられないという気持ちもあるし。間違いなく刺激になっています。

―― 石原選手もチームメートからの信頼があると思います。

齊藤　信頼ありますね。ムラなくプレーできるから監督にとっても使いやすい選手だと思うし、ケガさえしなければ今シーズンもほぼコンスタントに試合に出られると思う。去年自分から外に出てやってきただけあるなと思います。

石原　（笑）

―― 昨シーズンの移籍については相談しなかったのですか?

齊藤　してましたよ、結構。

石原　結構してました。

齊藤　別に残ってもいいんじゃないかという話もしたけど、あの時はまだ20歳になる前だったから、外に出て経験を積んでもいいと思いました。

―― それぞれの変化について聞きましたが、逆に、お互いに求めたいことはありますか?

齊藤　僕が広教に求めるとしたら結果の部分ですね。走行距離やスプリント回数は常にJ1のトップクラスにいられると思うので、その上で7、8アシストぐらいしてほしい。今年のフォーメーションは2トップだし、中盤の選手もいる。ゴールが入らなくても決定機になるようなクロスを試合で常に2、3本上げてくれたらボールは自然と広教に来るし、シーズンを通して結果を残せばJリーグのサイドの選手の中でもトップ5に入ると思う。

石原　未月は点を取ることかな。遠い距離でもミドルシュートで得点を決められるといい。

齊藤　それを増やせせれば間違いなくいいね。

石原　たぶんミドルシュートで点を取ったことは……。

齊藤　そう、まだないから。

石原　そういうところを見たいですね（笑）。

齊藤　まだシュートを打って決めるという感じはないんだよね。

石原　打つことはあるけどね。狙いはあるけどまだ点につながってない。ミドルシュートを決められるようになったら相手はさらに警戒するだろうし、やっぱりお互い数字のところが大事かなと思う。

齊藤　今年はポジションが一つ前になってシュートチャンスは増えてきてるし、そこは以前と大きく変わったところ。確かにお互い数字の部分はすごく大事だね。

サイドでプレーするようになったのは敏さんのおかげ

今後一生、僕のこの軸は変わらない

――2人は中3の頃に浮嶋敏監督の下でプレーしていますが、トップチームで再会して監督の印象は以前と比べてどうですか？

齊藤　変わらないですよ。全く一緒。

石原　変わらないね。クールに見えるけど、中身はめちゃくちゃアツい。それを人前では出さないけど、去年最後のほうの試合では感情を表に出してた。

齊藤　そう、敏さんも大変だったと思う。

石原　アツいんですよ。

齊藤　アツい。それは伝わってくる。

石原　選手を育てよう、よくしようという気持ちはほんとにすごい。曺さん（曺貴裁前監督）もそうだったけど、敏さんも負けないぐらい気持ちを持っている監督だと思う。

齊藤　そうだね。クールな人に見えるけど選手とよくしゃべるし、コミュニケーションをすごく取ってくれる。やり方は違っても曺さんと似ている部分は多いと思う。

石原　練習後すぐにプレーの話をしてくれるのもありがたいよね。僕は中学の頃2人で話した時に敏さんがプレーの改善点を言ってくれて、さらにそれを改善するようなシチュエーションを全体練習でつくってくれた。

齊藤　選手のことをしっかり見てくれているよね。

――ボール奪取という齊藤選手の特徴を見いだしたのも浮嶋監督でしたよね。

齊藤　そうです。僕は当時FWで、頑張れるけどあまり特徴がなかった。何か武器が欲しいなあと思っていた時に敏さんがボランチにコンバートしてくれました。だからこれも上から目線で言うと、見る目があるんじゃないかな（笑）。

石原　（爆笑）

齊藤　でも今後一生、僕のこの軸は変わらないと思うので、感謝してます。

――同様のきっかけは石原選手にもありましたか？

石原　僕がサイドでプレーするようになったのは敏さんのおかげです。ジュニアユースではセンターバックをずっとやっていたんですけど、サイドをやりたいと敏さんに言ったら公式戦でもサイドで使ってくれた。両サイドできるよ

うになっておかなければいけないと言ってくれたのも敏さんで、その時は右足しか蹴れなかったけど左サイドを任されて、左足もそれ以来たくさん練習した。ユースでは結局センターバックに戻ったけど、あの時、敏さんに言われてなかったら僕はたぶん両サイドできるようになってない。今こうやってサイドをやっているのはその時期があったからだと思います。

――それにしても、幼稚園の頃から同じチームで過ごしてそのまま一緒にプロになるのはすごいことだと思います。

齊藤　いやあ、たまたまですけど、すごいですよね。

石原　（笑）。でも少年団でコーチをやっていた未月のお父さんはサッカーがめっちゃ好きで、すごくうまかった。力が伸びる小学生の時期に、そういう人たちに教えてもらったのは大きかったと思います。

齊藤　確かに、僕の父親はサッカーを知ってたし、そういうお父さんが何人かいたから、きちんと指導を受けてきたと感じますね。

――ちなみに、ボケとツッコミで言うとそれぞれどちらですか？

齊藤　いやあ、どうなんだろうな。

石原　未月はしゃべり担当です（笑）。

齊藤　だからどっちかといったら僕がボケかなあ（笑）。

選手にとってきつい試合が続く

――今シーズンは新型コロナウイルス感染症の影響で公式戦が延期となり、レギュレーションも変わるなど難しいシーズンになりました。再開した際はどのように臨みたいですか？

石原　始まってみなければ分からないけど……。

齊藤　確かに。ほんとそうだよね。

石原　降格はなくなったけど優勝はあるから、そこはもちろん目指さなければいけないんですけど、ただ、こんな事態はたぶん今後もないと思うし、どういう心境になるのか、どういう気持ちでプレーすることになるのかはちょっと想像できないですね。

齊藤　でも再開したら連戦になるし、チャンスは間違いなく全員に巡ってくるので、個人としては試合に出た時にど

DF #38
Ishihara Hirokazu

今年は例年以上にゴールチャンスが増えると思う

れだけチームを勝たせられるかが大事になってくると思います。

──浮嶋監督の下で今シーズン取り組んでいるサッカーは積み上がっていますか？

齊藤　もちろん良くなってきているとは思いますけど、試合をやってないから分からないというのが正直なところです。やっぱり公式戦をやらないと分からないなって、最近分かりました（笑）。ただ、個人としてはいくらでも成長できると思うので。

石原　そうだね。どんな時でもどんな練習でもとにかく手を抜かずに100パーセント以上の力を出してしっかりやることが今は大事だと思う。気持ち的には難しいかもしれないけど、ここで成長することをやめてしまうと周りとの差は埋まらないし、差をつけられない。この難しい状況の中で、今は選手として、人として、大きく成長できるかできないかのどちらかだと思うので、とにかく手を抜かずにやることが大事だなと思います。

──攻撃の幅を広げている今シーズンの湘南スタイルの見どころをあらためて教えてください。

齊藤　今年は例年以上にゴールチャンスが増えると思うので、サッカーをあまり知らない人やサッカーを見始めた人を含めて、サッカーを楽しみに来ている人にとって面白いゲームが常に続くと思う。得点も間違いなく昨年以上に増えると僕は踏んでいるので、見ていてきっと面白いと思

Takaba Yasuhiro

齊藤未月（さいとうみつき）
1999年1月10日生まれ、神奈川県出身。166cm・66kg
藤沢FC ▶ 湘南ベルマーレジュニア ▶
湘南ベルマーレ U-15平塚 ▶ 湘南ベルマーレユース ▶
湘南ベルマーレ

Saito Mitsuki

見る人の気持ちに届くようなプレーや試合をしっかりしたい

Takaba Yasuhiro

います。

石原　未月とほぼ一緒ですけど、今シーズンはボールを持つ時間が増えると思うし、ずっと守っているより、ゴールに迫っていくところや攻撃のほうが見ていて面白いはず。うまい選手も多いので、コンビネーションで相手を崩すシーンも増すと思うし、期待を持って見てもらえたらと思います。

――最後に、再開を心待ちにしているファン・サポーターへメッセージをお願いします。

齊藤　連戦になれば短いスパンで僕らのプレーを見てもらえると思うし、得点した時や勝った時の喜びを増やすためにも勝ち星を積み上げたいと思っています。勝ち点3を1試合1試合取っていくことが今年の目標なので、「GET3」に向けて、いい顔でまたサポーターの方と会いたいなと思います。

石原　未月が言ったように、再開したら連戦になって試合の頻度が増すと思います。連戦になれば間違いなく選手にとってきつい試合が続くと思うけど、きつい中でも湘南らしさを出して、見る人の気持ちに届くようなプレーや試合をしっかりしたい。今は明るい話題が世間的に少ないので、日本サッカーが国を盛り上げられるように、人の心を動かせるように苦しい中でもしっかり戦いたいし、そういう戦う姿勢をファン・サポーターの人たちに見てもらって一緒に楽しめたらいいなと思います。 **SB**

石原広教(いしはらひろかず)
1999年2月26日生まれ、神奈川県出身。169cm・65kg
藤沢FC ▶ 湘南ベルマーレジュニア ▶
湘南ベルマーレ U-15平塚 ▶
湘南ベルマーレユース ▶ 湘南ベルマーレ ▶
アビスパ福岡 ▶ 湘南ベルマーレ

Ishihara Hirokazu

Ishihara Naoki

Umesaki Tsukasa

心強い存在

プロになって18年目の石原直樹と16年目の梅崎司は湘南ベルマーレでどのような日々を過ごしているのか？
勝利の喜びをファン・サポーターと分かち合うために自分自身と向き合う2人の生き方に迫る。

取材・文＝隈元大吾　Words by Kumamoto Daigo
写真＝鷹羽康博、木村善仁（8PHOTO）Photography by Takaba Yasuhiro, Kimura Yoshihito（8PHOTO）

体に刺激を入れるなら練習後にやるタイプ

――特集のテーマが「時間」ということで、練習日の時間割をそれぞれ教えてください。

梅崎　普段は7時ぐらいに起きて、朝食を食べ、犬の散歩をして、帰ってきたらすぐに家を出る感じですかね。練習の1時間半前ぐらいにクラブハウスに着いて体をほぐしています。

石原　僕は朝8時前後に起きて、ごはんを食べて、9時すぎぐらいに家を出る感じですね。着くのは練習の45分前ぐらいかな。

梅崎　30分前じゃないですか？（笑）

石原　30分かな……（笑）。曜日やその日の練習内容、練習前にミーティングがあるかどうかによっても違いますね。

――練習後はどうでしょう。

梅崎　僕は基本、曜日や試合から逆算して、自分の体のコンディションも踏まえて筋トレとかフィジカル的なものを別に入れるかどうかを考えますね。ケアは基本的にしています。

石原　僕も体に刺激を入れるなら練習後にやるタイプなので、気分次第で少し刺激を入れたりします。そのまま帰った日は近所の公園で常に子どもたちと遊んでますね。

――プロ生活を始めた頃から日によってメニューを変えていましたか？

梅崎　ああ、どうですかね。でも年を重ねて、練習に来る時間が早くなってきている感覚はあります。練習後のケアも慎重になっていますね。

石原　僕はいつもギリギリですね（笑）。練習前は家でゆっくりします。逆にクラブハウスに来てからゆっくりすると、時間があり過ぎてスイッチが入らないまま練習に出てしまいそうなので。

梅崎　天才肌です、いわゆる（笑）。

石原　いやいやいや（笑）。ほんとに昔からそうなので。そのぶん、時間に余裕がないというリスクもあるけど。

梅崎　僕は気にしいなタイプなので、ナオくんみたいなタイプはうらやましいですね。ナオくんは適当に見えて実はすごく感覚派だし、たぶんそれで全然オッケーだからできるんだと思います。まあ本人は面倒くさいだけだと言ってますけど（笑）。

石原　（笑）。ウメちゃんは僕よりもっと早く来て準備をしてるけど、僕がグラウンドに出る時間にまだラボにいてくれるので安心するところがある（笑）。

梅崎　はははは（笑）。いたくているわけじゃないんですけどね。僕の場合やることが時間内に終わらなくて、みんながもうグラウンドに出ているのにギリギリまで何かしてる。ナオくんはゆっくり来るから準備も遅くて、急いでグラウンドに行ってる。だからナオくんとは違います（笑）。

石原　そうそう（笑）。

梅崎　僕も昔は結構ギリギリに来るタイプだったんですけどね。あれもしておきたいな、これもしておきたいなって、ケガをきっかけにそういうふうになってきましたね。

追い込む方向に進んでしまう自分がいる

――逆に昔から変えていないことはありますか？

梅崎　いやあ、分からないです。正直もう自分が全然見つかってなくて。この間、ナオくんともそんな話をしましたよね。

ベルマーレの新加入として1年目という気持ちでやっている

石原　そう（笑）。お互いサッカー観や生活のリズムがほんとに違うので、どっちがいいとか悪いとかじゃないですけど、つい最近聞き合いました（笑）。

梅崎　全然違いますよね（笑）。自分のペースを崩さないし崩したくないみたいな、マイペースなところは一緒なんですけど。

石原　そうそう。僕はウメちゃんがしっかり準備しているのをよく見るので、それは年齢を重ねてからやるようになったのかとかいろいろ聞きました。普通はたぶん逆だと思うんですよ。年を重ねるごとにだんだん自分の体が分かってくると思うんですけど、ウメちゃんの場合は逆で、自分に合ったものを見つけるためにどんどんやることが増えていってる。ああ、なるほどと思いました。

――梅崎選手は自分に合うやり方を今も探している。

梅崎　そうです、探してます！（笑）。でも逆に、もうナオくんみたいにしてしまおうかなと思っちゃうところもある。何なんですかね。探究心が強いところもあるんですよね。

――そうやって話すことでお互いに何かを取り入れようとしたのでしょうか。

梅崎　ナオくんの感覚を取り入れたいという思いはすごくありますね。これだけ長く第一線でプレーし続けるのには絶対理由があるし、自分と真逆のものを持っている人なので、見方もたぶん違うから、そういう目線も聞きたいなと思って。でもナオくんの奥さんも言ってましたけど、言語化能力がないので（笑）。

石原　うん（笑）。

梅崎　ほんとに感覚の人だと思うんですよ。考えるより感じて、いいか悪いかを自分の中で判断していると思う。

――石原選手も浦和時代に大きなケガをしているので、それ以降考え方が変わってもおかしくないと思いますが。

梅崎　確かに。

石原　はい。でもそうでもないんですよね。ケガしたほうの足は筋力が落ちたと思うので、そこは意識してトレーニングしますけど、新たに何かを加えたことは特にない。ただ、僕のこのリズムも、そのままウメちゃんにこうやったほうがいいよとは言えないので。

――自分に最適なリズムを自然に得ているということでしょうか。

ナオくんが湘南に来てくれたことに感謝しています

石原　どうなんですかね。ただ生活でストレスを感じたくないというのは一番にありますね。

梅崎　それって結構、理にかなってますよね。僕は逆に自分で自分にストレスを与えてしまっているかもしれない。

——梅崎選手はあえて自分を追い込む印象があります。

梅崎　それはありますね。楽にしていたほうがいいというのは何度も聞いたことがあるし、いろんな本を読んで感じたこともあるので分かってはいるけど、なんか追い込む方向に進んでしまう自分がいる（笑）。幼少期の生き方や環境も関係しているのかなあと思ったり。どうなんですか、ナオくんは小中高ってそんな感じでした？

石原　うーん、学校になぞらえると、行くのは遅かったかな（笑）。もう小学生の頃からギリギリ間に合う感じだった。

梅崎　練習もそんなにやり込んできてないんですか？

石原　うん、緩かったね。上を上をと目指してなくて、上の世界があることすら気付いてなかったから。自分のサッカー人生はスタートが全部遅い感じだった。だからいろんなものを積極的に取り入れようとするウメちゃんの気持ちとか追求心はほんとにすごいなと思う。けど難しいよね。体を動かす部分もそうだけど、本を読んだりいろんな人と話したりして試してみても、どれがいいのか僕も答えが分からない。

新しい知識を入れることはすごく大切

——時間の使い方について参考になった人はいますか？

梅崎　ナオくんと興梠慎三（現浦和レッズ）は同タイプの感じがするんですよ。

石原　ああ（笑）。

梅崎　必要のないことは全部排除するみたいな。そういう自分とは逆の人たちに憧れる節は昔からありますね。でも那須大亮さんや加賀健一さん（現ブラウブリッツ秋田）のようにやり込む人にも僕はすごくシンパシーを感じるし、むしろシンパシーを感じるのはそっちのほうで。例えば慎三はずっと試合に出続けているから、プレーのフィーリングや実戦で使える体のフィードバックを毎回試合で受けられるわけですし、試合のリズムに合わせていればいいと僕は思うんですけど、一方で那須さんや加賀さんが言ってたのは、試合に出られないならやり続けなければ年を取って簡単に落ちると。

石原　うんうん。

梅崎　その言葉は僕の頭の中ですごく印象的に残ってる。2人は実際やり込んでいましたし、出場機会が限られても出ればすごく印象的な活躍をしていた。でもナオくんのように真逆の人たちもいて（笑）。

石原　（笑）

梅崎　だから迷っちゃうみたいな（笑）。何が自分の体に合っているのかは常に探してますね。湘南に来て見つかりかけていたんですけどね。

——石原選手は他の人の時間の使い方は気にならないですか？

石原　いや、気にはなります。僕も那須さんや加賀さんの話を聞いたことはありますし、実際レッズの時にケガをして試合に絡めなかった時に自分のキレを感じられなくなった時期もあった。自分のコンディションはどれぐらいなんだろうとか、どこまで通用するのか試す機会がなかなか回ってこなくて、それでもやり続けないとどんどん落ちていくという話を上の人たちから聞いていた。でも慎三は、何も考えずに自分のペースでやっているように見えるけど、実際話すとすごく考えてるんですよ。サッカーが大好きだし、サッカーに対する独自の考えを持っている。だから人に話を聞いた上で、自分がやったほうがいいなと思うことはチャレンジするべきだし、逆に頭の中だけにとどめて、いつか必要になった時のために引き出しに入れておいてもいいと思う。いろいろ話を聞いて刺激や新しい知識を入れることはすごく大切だと思うので、そこはウメちゃんと一緒ですね。

梅崎　僕はさっきナオくんのことを適当とか言語化能力がないとか言いましたけど、めちゃめちゃ頭がキレる人だと思ってるんです。頭がいいし、プレーに無駄がない。流れを読む力もすごい。普段から余裕があるからそういう感じでプレーできるのかなと思うし、普段からサッカーのことを考えているわけではないと思うんですけど、サッカーIQはすごく高いと思いますね。

石原　いやあ……。

梅崎　ちょっと褒め過ぎ？（笑）

石原　褒め過ぎ（笑）。最近ほんとにこういう話をしたんですよ。それでどちらかというと僕の嫁さんの考えがウメちゃんに近いんです。だからウメちゃんに言われたように、私生活では嫁さんにサッカーと同じように動いてくれってよく言われます。

梅崎　ふふふ、あれ面白かったなあ（笑）。

——というと？

石原　普段あまり考えてないから、サッカーでは気付けることも私生活になると頭が回らない（笑）。そこをよく嫁さんにサッカーに例えられて言われます。「サッカーだった

らこうしてるよね」って（笑）。

梅崎　すごいですよね、返しが（笑）。

石原　まあ例えば、嫁さんが洗濯をしていた時に僕も手が空いてたので一緒にやろうかなと思って手伝ったら、「幼稚園の子どものサッカーって一つのボールにみんな集まるよね」って言われたんですよ。僕はもうそこで、「あ、そういうことか」と思って（笑）。サッカーはボールと違うところで動くよね、今なら洗い物あるよね、みたいに言われたんですよ（笑）。

梅崎　マジで夫婦漫才でしたよ（笑）。

──とても分かりやすい指摘ですね（笑）。では日常で一番大事にしている時間はいつですか？

梅崎　僕は家族、子どもたちといる時間ですかね。どちらが一番というのはないですけど、オンとオフの切り替えはここ数年しっかりできていると思います。家族と一緒にいる時間をより幸せに感じるし、大切にしてますね。

石原　僕も家族ですね。ただ、湘南に来てまだ本来の時間の流れになってない。子どもの幼稚園は決まったんですけど、なかなか行けなかったし、生活のリズムも試合が始まったら変わると思うので、まだ落ち着いてないですね。

年を重ねたからこそ見える部分もある

──梅崎選手は今年プロ16年目、石原選手は18年目を数えます。これまでの時間は長いですか、それともあっという間ですか？

梅崎　いやあ……あっという間と言えばあっという間ですし、けど1年1年濃いですよね。しっかり覚えてますし、いろんなことがあって今の自分が形成されていることも分かりますし。でもあっという間に16年過ぎちゃったなという感覚もあります。

石原　僕もほんとウメちゃんと一緒で、あっという間ですね。ただ、ほんとにいい経験ができていると感じます。周りの方、指導者の方、いろんな人を見て学んでサッカーを教えてもらってきた。ほんとにいい経験ができていますね。

──浦和で共にプレーして、今シーズン4年ぶりに再び一緒にプレーします。そのことについて最後に聞かせてください。

梅崎　僕はまずナオくんが湘南に来てくれたことに対してすごく感謝しています。昨年は自分がチーム最年長で、周りに比べたらいろんな経験をしている身ですけど、そういう責任も踏まえて、自分で自分にプレッシャーをかけていたところがありました。だからいろんな経験をしてきている自分より年上の先輩がこうして来てくれて、僕自身ちょっと楽になれたところがある。ナオくんが自分にないものを持っているという感覚はレッズ時代からあって、今自分も年を重ねたからこそ見える部分もあるし、話していてより感じられるところもある。それは自分のこれからのサッカー人生のほんとに大きなきっかけになると思うし、さらに成長できるんじゃないかなと思わせてくれる存在だと思っています。

──自分に相当プレッシャーをかけていたんですね。

梅崎　なんですかねえ……勝手に（笑）。まあ、それは昨年の反省点ですけどね。

──反省点？

梅崎　なんて言うのかな、自分が年上だと思い過ぎちゃったところがあって。思い込みが強いとそっちに引っ張られちゃうじゃないですか。でも湘南に来た1年目って、誰よりも若々しくエネルギッシュなプレーを見せるんだという思いがあった。もちろん現実を見ないのはよくないですけど、自分で年上と思い過ぎるのもよくないなという反省がすごくあったんですね。だからナオくんのように上の人が来てくれてホッとしたところもあるし、エネルギッシュなところを忘れちゃいけないと思っています。

石原　僕は今年チーム最年長ですけど、そういう意識はあまりなくて、ベルマーレの新加入として1年目という気持ちでやっている。初めての選手も多かったし、自分はどういうプレーヤーだということを周りに伝えなければいけない。その点、ウメちゃんのプレースタイルは知ってますし、何も言わなくても僕のことを分かってくれている。ウメちゃんがいてくれてすごく心強いです。

──2人の競演を楽しみにしています。

石原　そうですね、頑張ります。

梅崎　ナオくんとはレッズ時代からフィーリングがいいなと感じていたので、生かし生かされる関係性をこのチームでもっともっと築いていければと思います。　SB

石原直樹（いしはらなおき）
1984年8月14日生まれ、群馬県出身。173cm・64kg
高崎西FC ▶ 片岡中学校 ▶ 高崎経済大学附属高校 ▶ 湘南ベルマーレ ▶ 大宮アルディージャ ▶ サンフレッチェ広島 ▶ 浦和レッズ ▶ ベガルタ仙台 ▶ 湘南ベルマーレ

梅崎 司（うめさきつかさ）
1987年2月23日生まれ、長崎県出身。169cm・67kg
長崎FC ▶ キックスFC ▶ 大分トリニータU-18 ▶ 大分トリニータ ▶ グルノーブルフット38 ▶ 大分トリニータ ▶ 浦和レッズ ▶ 湘南ベルマーレ

Ohno Kazunari
Yamada Naoki
Okamoto Takuya

座談会 **大野和成 × 山田直輝 × 岡本拓也**

5年目の抱負

湘南ベルマーレに5シーズン在籍する3人が集まった。
チームに在籍した時期はそれぞれ少し異なる。
・大野和成　2012・13・18・19・20
・山田直輝　2015・16・17・19後半・20
・岡本拓也　2016・17・18・19・20
長くプレーした3人が感じているベルマーレの魅力とは？

取材・文＝隈元大吾　Words by Kumamoto Daigo
写真＝鷹羽康博、兼子慎一郎、木村善仁(8PHOTO)　Photography by Takaba Yasuhiro, Kaneko Shin-ichiro, Kimura Yoshihito(8PHOTO)

湘南のことを全然知らなかった

――湘南ベルマーレに在籍して皆さん今年で5年目を数えます。大野選手と山田選手は途中移籍を経ていますが、思えば長くなりました。

山田　そうですね（笑）。長いのかな。

大野　多くの選手は一つのクラブに3年ぐらいじゃない？

山田　そのぐらいか。

岡本　最近は一つのチームに長くいる人は少ないんじゃない？

山田　でもシンプルに続けて5年いるのって拓也だけでしょ。俺とカズくんは一度……。

大野　戻ったからね。でも湘南に5年いるとは想像してなかった。

山田　俺もです。

岡本　それは俺もです（笑）。

大野　みんなユース上がりだからね。自分のクラブには長くいると思ったけど、違うクラブで、とは想像しなかった。

山田　確かに。俺も最初、期限付きで来た時は1年だと思ってたから（笑）。

大野＆岡本　それは俺も思ってた（笑）。

山田　結果5年いるってことですね。

岡本　でも直輝くんはすぐ帰っちゃうから。

大野　浮気グセあるから。

山田　いやいや、もう帰らないわ（笑）。完全（移籍）で来たから。カズくんは最初どこから来たの？

大野　アルビレックス新潟だよ。

山田　でしょ？　一緒じゃん（笑）。

岡本　（笑）

大野　違う違う違う（笑）。俺は1年目が終わった時に「残りたいです」と言ってもう1年残った。でもその次の年はさすがにもう帰らないといけなかったから。

――大野選手の最初の在籍は2012～13年ですね。

山田　え、曺さん（曺貴裁前監督）とカズくんの1年目は一緒？

大野　そうそう、一緒。

岡本　そうなんだ。

MF #8
Ohno Kazunari

新しい湘南のスタイルは出しやすいんじゃない？

山田　一番知ってるじゃないですか。湘南スタイルの始まりというか。

大野　うん、知ってるよ。

――それぞれ最初に加入した際のベルマーレの印象を教えてください。

大野　2人は来た時に「湘南スタイル」がすでにあるじゃん。

山田＆岡本　はい。

大野　でも俺は来た時、正直湘南のことを全然知らなかったから。言ってること分かる？

山田　ああ、分かる分かる。

大野　どんなサッカーかよく分からなかったし。来た時は"中田英寿"というイメージが俺は強すぎて。

岡本　（笑）。古くない？

山田　いや、古すぎでしょ（笑）。

大野　いや、だって分からなくない？

岡本　確かに。カズくんが来た頃の湘南は分からないな。

山田　確かにね。

大野　だから2人は、湘南スタイルはアグレッシブというイメージがあって、それをやりたいから来たと思うけど、俺はマジで分からなかった。

山田　（笑）。じゃあなんで湘南を選んだんですか？

大野　俺は2011年に半年間、愛媛FCに行って、すぐに試合に出られたのはよかったけど、成長するためにもう1回イチからやりたいなと思って、その時に湘南から話が来て。若返りを図ってイチから競争すると言われて、湘南のことは分からないけど、ここで勝負しようかなと思って俺は来た。だからほんと、俺の湘南のイメージは"中田英寿"だった。で、湘南から話が来て試合の映像を見たらアフロのFWの人（馬場賢治／現鹿児島ユナイテッドFC）がいて（笑）。

山田＆岡本　（爆笑）

大野　すげぇ人がいると思って（笑）。

山田　クセが（笑）。

岡本　あのアフロ忘れられないよ（笑）。

山田　あれは忘れられない（笑）。

大野　だからこの2人の当初のイメージと俺のイメージはたぶん全然違う。

山田　違うね。僕は来る前年の2014年が、湘南がJ2で独走したシーズンだったので、カズくんが言ったようにサッカーのスタイルは確立されていた。正直そこに自分が入っていけるか不安でしたけど、湘南に行ったほうがいいと言ってくれる人が多かったので、ありがたいことに当時いくつかオファーをもらっていた中で、決断しました。

――入る時に湘南のサッカーはイメージできていた。

山田　完全にできてましたね。とにかく前に速くて、みんなが一生懸命走って、試合が終わって勝っているのに倒れてるみたいな、それがすごく印象的で。最初は「自分にこれができるかな」と思いましたね。

ピチピチのカズくんのイケイケのプレー

――岡本選手は加入する前に山田選手から湘南の話を聞いていましたか？

岡本　はい。まずオファーが来る前に直輝くんから電話が来て、「おまえ湘南に興味ある？」みたいなね。

山田　そうそう。最初、曹さんから俺に電話が来たんだよ。「拓也は湘南に合うか」と言われて、その瞬間に即答したもん、「絶対合います」って。その2時間後ぐらいに「湘南決まりました」って。

岡本　そう。直輝くんから電話が来た時に、「ああ、行けたら行きたいっすね」みたいな話をして、そうしたらすぐに代理人から連絡が来た感じです。

山田　俺のおかげだよ（笑）。

岡本　まあ、入りはね（笑）。

大野　ね、2人はそういうのあるでしょ。俺全くないもん。

Takaba Yasuhiro

大野和成（おおのかずなり）
1989年8月4日生まれ、新潟県出身。180cm・76kg
FC高志 ▶ 上越市立春日中学校 ▶ アルビレックス新潟ユース ▶
アルビレックス新潟 ▶ 愛媛FC ▶ 湘南ベルマーレ ▶ アルビレックス新潟 ▶
湘南ベルマーレ

体力を温存する意味でボールを握ることが大事

山田＆岡本　（笑）

岡本　俺は2014年にV・ファーレン長崎で対戦してたし、2015年は直輝くんやツボさん（坪井慶介）が湘南にいたから試合も見ていて、なんとなく合うかなあとは思ってましたね。

──2014年は第2節に対戦していますね（湘南が長崎に3-0で勝利）。

岡本　ああそうです、ボッコボコにされました。

山田　ボコボコにされたんだ（笑）。

岡本　全然自陣から出られない（笑）。

──そう考えると、大野選手は湘南スタイルの礎に関わっていますね。

大野　そうですよ、感謝してくれよ（笑）。

岡本　今年の最初のミーティングの映像に若い時のカズくんが出てきてさ。

大野　ああそうそう。知らない？　俺がアシストした試合。

岡本　そう、（菊池）大介（現アビスパ福岡）くんに。

山田　それ見逃してるわ。

岡本　ピチピチのカズくんのイケイケのプレーが（笑）。

大野　そう、イケイケの時の（笑）。

Takaba Yasuhiro

山田直輝（やまだなおき）
1990年7月4日生まれ、埼玉県出身。168cm・64kg
北浦和サッカースポーツ少年団 ▶ 浦和レッズジュニアユース ▶
浦和レッズユース ▶ 浦和レッズ ▶ 湘南ベルマーレ ▶ 浦和レッズ ▶
湘南ベルマーレ

山田　2012年は成績どうだったんですか？

大野　昇格したよ。

山田　おお、すごい。

大野　京都サンガと開幕戦だったんだけど、京都は前の年に天皇杯で決勝まで行ってたから前評判が高くて、湘南は前年の成績も悪かったし9割以上負けるだろと言われてた。そこで勝ったから、俺らも若かったし勢いが出た。コバショウ（古林将太）とかもいたしね。あの勝ちが大きかった。開幕9戦負けなしで、その後、今度は8戦ぐらい勝ちなしだった。

山田　ジェットコースターだよね（笑）。

岡本　湘南らしいね。

──当初は若さもあって勢いがありました。それから約10年、湘南スタイルは変化していますか？

大野　スタイルは変わってないけど、2018年に帰ってきた時に精度が上がってると思った。レベルが上がってるなと。

山田　うん、それは僕も同じですね。2018年に浦和レッズに行って、2019年の途中に帰ってきた時に精度が上がってるなと思った。けど、やり方は特に変わってないですね。

──2016年から在籍している岡本選手はその変化を肌で感じていましたか？

岡本　どうですかね。ずっといるとあまり感じられないですね。でも2018年の夏にヤマ（山﨑凌吾／現名古屋グランパス）が来てから一気に精度が上がった感覚はあるかな。ヤマは前で収めてくれるし、プレッシャーも含めて、サッカーそのものの質が上がった感じはありましたね。

山田　すごくない？　そんな一気に。ヤマはプレッシャーも最初からちゃんとできたの？

大野　いや、すごいよ。

岡本　うん、もうどんぴしゃ。ね。

大野　あれはすごいと思う。たいていなじむのに時間が……。

山田　最初ディフェンスの部分でね。

大野　苦労するじゃん、基本的に半年以上は。

山田　俺1年半（笑）。

岡本　3年でしょ。

山田　いや、3年は言い過ぎ（笑）。

岡本　（笑）。ヤマは来ていきなりポストプレーもうまかったしね。

あの開幕戦があったから信じてやれている

──さらに昨シーズン終盤より浮嶋敏監督に代わり、湘南スタイルに変化は感じますか？

MF #10
Yamada Naoki

DF #6
Okamoto Takuya

僕の知ってる山田直輝はまだまだこんなもんじゃない

大野 本質的には変わらないけど、今シーズンは上に行くためにプラスアルファに取り組んでいるところだと思います。湘南は前から守備に行って攻撃はカウンターというイメージがたぶん先行していると思うんですけど、プラス自分たちのリズムや時間をつくることにトライしている。両方できたらさらにチームは強くなると思います。

——いわゆる遅攻ですね。

大野 そうですね。プラスアルファというか、チームがひと回り、ふた回り進化するために取り組んでいるところです。

山田 だから敏さんには今までからのプラスをすごく感じますね。曺さんは毎年精度を上げていき、敏さんはけっこう思い切って舵を切っている。上に行くために、これまでのスタイルに今の取り組みをミックスしようとしている。でも一方で敏さんは、湘南スタイルを90分やるために、体力を温存する意味でボールを握ることが大事だと話している。なので、遅攻に重きを置くというより、湘南スタイルを90分間出すために大事なことに取り組んでいるのかなと思います。

——岡本選手も同様の感覚ですか?

岡本 はい。2人が全部言ってくれました(笑)。

山田 3番手だともうだいたい言うことないからね(笑)。じゃあ今度はこっちから行こう。2番目もだいぶ言うことないけどね(笑)。

大野 いや、俺も途中で言い過ぎたなと思った(笑)。

——遅攻に取り組むと、速攻とのバランスが難しいのかなとも想像しますが、その点はどうですか?

岡本 その難しさは当然あるし、長くいる人ほど感じるのかなと思いますね。自分たちの良さが薄れてしまう難しさは、たぶん3人とも感じているんじゃないかなと思います。

山田 それは僕も一緒です。でも開幕の浦和戦では新しいスタイルも出せたし、湘南らしさも出せた。あの開幕戦があったからこそ、今みんな信じてやれていると思う。あとは公式戦が来ないと難しいですね。今は結局ずっと練習試合しかやれていないので、どこまでできているのかが正直分からない。だからこそ公式戦がコンスタントに来てほしいなと思っています。

大野 僕も2人と同じ感覚はあります。一度ブロックをつくられると崩すのは難しいし、相手のバランスが崩れた時に得点が入るイメージもあるから、今までの良さを消してはいけない。でもそれだけでは戦えない面もあるからプラスアルファに取り組んでいる。最初からうまくいくとは思っていないので、擦り合わせていきたいですね。

山田 正直、開幕戦が来るまでどれぐらいできるか分から

なかったですよね。

大野 うん、分からなかった。

岡本 ほんと未知数だった。

山田 未知数だったよね(笑)。

岡本 それで浦和戦で、「おお、これか」みたいな(笑)。

山田 やっぱり公式戦がないと自分たちが今どれぐらいなのか測れないよね。

大野 うん、公式戦で場数を踏んで、真剣勝負で結果を求めていかないと測れない。

——新型コロナウイルスの影響で公式戦が延期となり、今シーズンは降格がなくなるなどレギュレーションが変更されました。再開後どのように臨みたいですか?

岡本 どういう感じで進んでいくのか、正直始まってみないと分からないですね。

大野 今はすべてが未知数だよね。ただ、新しい湘南のスタイルは出しやすいんじゃない? 残留争いのプレッシャーの中では、負けたくないとか失点したくないという気持ちが先行して、本来やろうとしているサッカーができなかったりするからね。降格がないとシンプルにやれるんじゃないかと思う。

Takaba Yasuhiro

岡本拓也(おかもとたくや)
1992年6月18日生まれ、埼玉県出身。175cm・73kg
道祖土サッカー少年団 ▶ 浦和レッズジュニアユース ▶ 浦和レッズユース ▶
浦和レッズ ▶ V・ファーレン長崎 ▶ 浦和レッズ ▶ 湘南ベルマーレ

山田　そうですね。変革しようとしている年だし、スタイルは出しやすいかなと思いますね。

岡本　あの残留争いの心臓がキュってなるヒリヒリした感じがないのはいいですね（笑）。

山田　そうね（笑）。年末にヒリヒリしないのはいい。でもあれが湘南らしさでもあるからな。

岡本　確かに。

大野　ああいうギリギリのところでの捨て身の守備とか体を張るところが湘南スタイルの良さでもあるんだよね。

頼まれたらしっかりやっちゃうんだよね

——それぞれ在籍5年目となる今シーズン、あらためてお互いの印象を聞かせてください。

山田　カズくんは新潟のイメージが強いかもしれないですけど、僕は「カズくんと言えば湘南ベルマーレ」というイメージが強くて、クラブの象徴的な存在だなという印象があります。僕が最初ここに来る時も、湘南の選手で知っていたのはカズくんと大竹洋平くん（現長崎）と永木亮太くん（現鹿島アントラーズ）ぐらいだった。その時から湘南のイメージが強い選手で、今もそれは変わらないですね。

——大野選手は今シーズン選手会長となり、岡本選手がキャプテンを引き継ぎました。

岡本　ほんと、一番大変なシーズンのキャプテンで、去年は相当しんどい思いをしたと思うけど、それを見せずにすごく頑張ってた。今年自分がキャプテンをやるにあたり、そういうカズくんが選手会長のポジションにいてくれるのは僕としてはすごくありがたい。いろんなことを相談できるし、選手からのお願いはだいたいカズくんのほうに行くので、ほんとにありがたい存在ですね（笑）。

山田　確かに（笑）。選手会長はカズくんがいちばん適任じゃない？

岡本　ピッチ外のお願いはだいたいカズくんのところに話が行くもんね。

大野　ただ単にみんなが俺に言いやすいだけでしょ。

山田　いや、でもそれって大事じゃないですか。選手の声が届きやすいってことでしょ。

大野　馬渡（和彰）が最初来たときに、「カズくん、芝が乾いてるので水を撒いてもらいたいんですけど」ってお願いされたからね。いや、芝の管理までするの？　俺そこまで!?みたいな（笑）。

岡本　ほんっとにありがたいです、俺からすると。

山田　適任だと思う。カズくんは先輩だけど話しやすいから。

岡本　しかもカズくん、お願いするとけっこう普通にやってくれるんだよね（笑）。

大野　そう、やっちゃうんだよ俺（笑）。頼まれたら意外にしっかりやっちゃうんだよね。困っちゃう。

山田＆岡本　（笑）

——山田選手は昨夏復帰して10番を背負い、さらに今シーズンは完全移籍となりました。

山田　まだ半年しかたってないし、今年も1試合しかやってないからなあ。

大野　でもとりあえず去年のジュビロ磐田戦（第22節）のゴールは非常に助かった。

山田＆岡本　（笑）

大野　俺は心の底から感謝です、あのゴールに相当救われたから。だからあれを今年もやっていただけたら個人的にはすごくありがたい。

山田　開幕戦ではヘディングで入れたんだけど、意外とヘディングゴール多いんですよね。

——岡本選手は、山田選手の印象はどうですか？

山田　ちゃんと真面目なこと言えよ（笑）。

岡本　小学生の頃から知ってるので……。

山田　小学生の頃か……。

岡本　まあほんと尊敬すべき大先輩なんですけど。

山田　なんか言い方がさあ（笑）。

大野　悪意（笑）。

山田　ね、尊敬してないですみたいなさあ（笑）。

岡本　（笑）。まあでも、僕の知ってる山田直輝はまだまだこんなもんじゃないので。

大野　確かにね。あんま知らんけど。

山田　カズくんはそんなに知らないよね（笑）。

岡本　だからもっとすごいところを見せてほしいなと思います。

山田　うん、しっかりやるよ。しっかりやってるけどな（笑）。

――今シーズンキャプテンに就任した岡本選手についてはどうですか？

山田　僕は中学の頃から拓也を知ってるけど、もともとキャプテンのキャラじゃなかったから、J1のチームで拓也がキャプテンをやっているのは僕の中では今でも不思議です。でもやってみたら、意外といけるんだなみたいな。黙々とやるタイプだからあまり自分から発信しないですけどね。試合前の円陣の時だけちょっと声を掛けるぐらいで。

岡本　でも何を発信するんですか？

山田　何を発信するかは分からないけど、俺がキャプテンだったらたぶんもう少し発信すると思う（笑）。

大野　でも拓也は練習や試合を普通にしっかりやれる選手だからね。

山田　うん、そうですね。

大野　口だけでやらない人より、黙々とやるべきことを

100パーセント以上でやる人が俺はいいと思うので、拓也はほんとに湘南のスタイルのキャプテンだなと思う。発言はいろいろしゃべるヤツに任せておけばいい。汚れ役は俺がやるので、一本の柱という意味では拓也がいちばんキャプテンとしていいと思うな。

――ファン・サポーターは試合を心待ちにしていると思います。公式戦が再開したらどういう戦いを見せたいか、最後に聞かせてください。

岡本　うちらしいアグレッシブな試合を見せたいし、精度を高めて、開幕の浦和戦のような内容でより多く勝ち点を取る戦いを毎試合できるようにすることが目標かなと思います。

山田　ルヴァンカップの開幕戦は大分トリニータに勝ったけど、あの内容ではサポーターは満足しないと思う。湘南らしく戦うことが大事だし、勝つことはもちろん、まずは見てくれている人たちに「今日は湘南らしかったね」と思ってもらえるゲームを毎試合やらなければいけないと思っています。

大野　僕らの目標は「GET3」なので、内容と結果が両方伴わなければいけないと思う。内容がよくても勝てないとこれでいいのかみたいな雰囲気になってしまうもの。内容プラス勝つことによって得られるものは大きい。なおかつ連戦が続く中で、うちのチームは走れるし、良さがさらに出ると思うので、そういうところを見ていただきたいです。　SB

Takaba Yasuhiro

34

Kobayashi Shota
Matsuda Temma
Suzuki Toichi

座談会 **古林将太 × 松田天馬 × 鈴木冬一**

湘南ベルマーレの90分
❸つの見どころ 攻撃編

堅守速攻に加え、ポゼッションスタイルにも取り組んでいる今シーズンの湘南ベルマーレ。
スタジアムに集うファン・サポーターは、選手のどんな動きを見ればいいのか。
古林将太、松田天馬、鈴木冬一の3人に、攻撃面での注目ポイントを聞いた。

取材・文=池田敏明　Words by Ikeda Toshiaki
写真=鷹羽康博、兼子慎一郎、木村善仁(8PHOTO)　Photography by Takaba Yasuhiro, Kaneko Shin-ichiro, Kimura Yoshihito(8PHOTO)

見どころ❶ **それぞれの役割**

——古林選手は右ウイングバック、松田選手はインサイドMFや2トップ、鈴木選手は左ウイングバックでプレーすることが多いと思います。まずは各ポジションにおける攻撃時の役割を教えてください。

古林　まず守備をし、攻撃に切り替わった時には最前線まで攻め上がって行くことを意識しています。冬一が左サイドからボールを運んでクロスを上げる時は、中央に絞ってヘディングやボレーシュートを狙うようにしています。

鈴木　同じサイドのプレーヤーでも、コバくんと僕とではプレースタイルが違うんですよ。僕はどちらかというと、サイドで中間ポジション(相手選手の間のポジション)をつくって、ボールを落ち着かせる役割を担っています。コバくんはどんどん裏に抜け出してサイドからクロスを上げますが、同じサイドでも左サイドと右サイドでは攻撃の仕方が違うので、そこは見ていて楽しめる部分だと思います。

松田　僕は守備の場面でスイッチ役というか、ファーストディフェンス(相手ボールに対して最初にプレスをかけること)の役割を担うことが多いので、まずはそこでチームを活性化させます。攻撃の場面では中継役というか、攻撃を加速させるポイントにいたり、走ってスペースを空けたりというのが大きな役割だと思います。

——では、ファン・サポーターの方々に見てほしい、それぞれの自慢のプレーを教えてください。

松田　僕はミドルシュートを一番、見てほしいです。昨シーズンはあまり打てていませんでしたけど、けっこう自信があります。コースを狙うシュートではなく、思い切り蹴る強いシュートが得意です。

古林　僕もミドルシュート。

一同　(爆笑)

古林　自慢のプレー、何だろうな……。僕はクロスでアシストするのが得意なので、それかな。

鈴木　僕はドリブルですね。サイドの選手はタッチライン付近にいるので、ラインをうまく使うドリブルというか、サイドの選手にしかできないドリブルを皆さんに見てほしい

目の前にある試合を大事にしていきたい

ですね。
——ボールを受ける前、持った瞬間、パスを出した後に心掛けていることを教えてください。
古林 受ける前はだいたいドキドキしていて(笑)。
一同 (爆笑)
古林 受けた後もドキドキしています(笑)。それは冗談で、受ける前は相手がどこにいるのか、味方FWがどこにいるのかを見つつ、相手のプレッシャーが来たらワンタッチで返しますし、ボールを受けられたら、ベルマーレは前に行くプレースタイルなので、まずは前を向く。パスコースがなかったら下げる。前に出せそうだったらパスを出して、次のボールをもらうための動きをします。FWの動きを常に見ながらプレーしています。
松田 僕もパスをもらう前は味方のポジションを確認しつつ、中間ポジションを取るように意識しています。ボールを受けた瞬間は、受ける位置にもよるんですけど、前に行きたいので、最初の選択肢は前に行く。ゴールに近ければ近いほど前に行くようにします。
鈴木 僕はなるべく多くの情報を取り入れるというか、味方の選手、相手の選手、自分の立っている位置などをまず

把握します。パスをもらった後は、場所にもよるんですけど、僕は悪い態勢でもらっても、後ろの位置でもらっても、なるべく前を向くようにしています。パス出した後は、まずは味方が次のプレーに移行しやすいボールを出すことが大前提で、そのボールを受けてくれた選手の選択肢にもよるんですけど、次のプレーに移りやすいポジションに動いていきます。
——鈴木選手は前号で山田直輝選手と対談した時、山田選手と息が合うと言っていました。昨シーズンからの進化や変化も含めて、チームメートで特にコンビネーションが合う選手はいますか?
松田 コバくんとはよく一緒にプレーしますけど、やりやすいですよ。
古林 ポジションが近いからね。冬一とは両サイドなのでコンビネーションはあまりないんですけど、逆サイドでボールを持って落ち着かせて、そこから右サイドのほうにボールが流れてくる回数は多くなりましたね。
鈴木 昨シーズンは左サイドにボールが出てきた時に、ロングボールを蹴ってしまう場面が多かったんですよ。今シーズンはサイドで時間をつくって、前に行けなくても展開できるプレーができていると思います。左右に揺さぶれるようになったというか。コバくんが言うように、息が合うのはポジションが近い選手ですね。
古林 天馬くんはめちゃめちゃ指示を聞いてくれます。
一同 (爆笑)
古林 自分発信でも言ってくれるし、お互いに話し合うことができます。縦への推進力もあるので、天馬が行って俺が行って、(岡本)拓也がついてくる、みたいな関係性ができています。
松田 コバくんのようにポジションが近い選手とはよくしゃべりますし、やりやすいですね。
鈴木 技術が高い選手が多く加入してきたので、あまり話し合わなくてもコンビネーションは合いますよね。チーム全体の質が高くなった感覚があります。
——FW陣とのコンビネーションはいかがですか?
鈴木 ナオさん(石原直樹)とは練習中にもよく会話しますし、コミュニケーションを頻繁に取ってくれます。J1開幕戦(対浦和レッズ、2-3で敗戦)の先制点も、ファーサイドに上げるというのをお互いに話し合っていたからこそ生まれたゴールだと思います。
古林 僕はナオさんとはベガルタ仙台で一緒にやっているので、合わせるのに問題はなかったです。ユウくん(大橋祐紀)とか、その他の選手もみんなやりやすいです。
鈴木 1年一緒にやったら、だいたい分かりますよね。
松田 先日、ちょっとだけFWでプレーして、(岩崎)悠人と

Takaba Yasuhiro

古林将太(こばやししょうた)
1991年5月11日生まれ、神奈川県出身。174cm・70kg
湘南ベルマーレジュニア▶湘南ベルマーレジュニアユース▶
湘南ベルマーレユース▶湘南ベルマーレ▶ザスパ草津▶
湘南ベルマーレ▶名古屋グランパス▶ベガルタ仙台▶湘南ベルマーレ

MF #5
Kobayashi Shota

MF #18
Matsuda Temma

ゴールに近ければ近いほど前に行くようにしている

2トップを組んだんですけど、いい距離感が保ててやりやすかったですね。

見どころ❷ ## 昨シーズンからの変化

——FWが昨シーズンまでの1トップから2トップになりました。それに伴って3人の役割やプレースタイルに変化はありますか？

松田　左右にスライドする動きの幅が大きくなり、運動量も多くなった気がします。

鈴木　僕の役割は特に変わっていないと思いますけど、フォーメーションが変わったぶん、ボールの動かし方がちょっと変わったかな、という気がします。

——昨シーズンは体格に優れた1トップへのクロスやロングパスという攻撃が多かったと思いますが、今年は機動力に優れたFWが2トップを組んでいます。クロスやパスを送るシーンでの変化はありますか？

鈴木　FWの選手はそれぞれの持ち味を発揮して動いてくれるので、それを生かすようなボールを蹴っています。

古林　FWが誰なのかでクロスの質も変わってきます。イブくん（指宿洋史）だったら高さがあるので滞空時間の長いボールを蹴りますし、ナオさんだったら鋭いボール。選手によっていろいろ変えます。

松田　それぞれの距離感が近くなって人数も増えたので、ボールが回りやすくなりました。僕が2列目から最前線に出て行ってもFWの選手たちがバランスを取ってくれるので、やりやすいですね。

——今シーズンは従来のカウンター攻撃に加え、パスを回しながら攻める形もあります。速攻の時と遅攻の時で意識することに違いはありますか？

古林　ボールを持てる選手が多くなってきたので、遅攻の時も落ち着いてプレーできていますね。チームとしてボールを失わないことを大事にしていますし、それは練習の時から指導されています。

鈴木　でも、速攻も好きっすよね。行ける時はスピーディーに行きます。

松田　ボールを奪った後にすぐ失うのは避けなければならないんですが、昨シーズンはそれが多かったので、奪ってすぐ蹴るだけではなく、しっかりつなぐように、というのが今シーズンの修正点というか、チームとしての課題になっています。

鈴木　自分たちでパスを回す時間を長くする、というのが昨シーズンまでの戦い方にプラスされています。でも、基本的な戦い方や意識はそこまで大きくは変わっていないと思います。

——今シーズンからJ1でVARが導入されました。ペナルティーエリア内で接触プレーがあった場合、レビュー確認することもあるので、エリア内に仕掛けていけるドリブラーの価値が高まっています。ドリブルに対する意識の変化はありますか？

鈴木　サイドの選手は、ペナルティーエリアがちょっと遠いですよね。エリア内にドリブルで仕掛けていく場面は、もちろん狙ってはいますけどほぼないので、エリア付近でドリブルを仕掛けてFKを獲得するほうを狙っています。

松田　昨シーズンよりもドリブルの重要性が高まっていると思いますし、敏さん（浮嶋敏監督）からも「数的優位をつくれ」とよく言われます。その意味でもドリブルの重要性が高まっているので、チャレンジしているところですね。

鈴木　プレーしている時はVARのことは意識していますし、ユニフォームを引っ張られたり、引っ張ったりすると大げさに見えるというか、スロー再生するとめっちゃ引っ張っているように見えるので、その難しさはありますね。

古林　ナイス守備だと思っても、スロー再生するとめっちゃ引っ張っているように見えることもあるからね。

Takaba Yasuhiro

松田天馬（まつだてんま）
1995年6月11日生まれ、熊本県出身。164cm・62kg
熊本ユナイテッドSC U-12 ▶ 熊本ユナイテッドSC ▶ 東福岡高校 ▶
鹿屋体育大学 ▶ 湘南ベルマーレ

サイドの選手にしかできないドリブルを見てほしい

鈴木　3人とも守備をやるので、攻撃では有効活用しつつ、守備ではなるべく使われないように気を付けながらやりたいですね。

古林　ベルマーレはCKの場面での競り合いがけっこう激しいので、要注意ですよね。

見どころ❸
スタジアムでの注目ポイント

——スタジアムではサポーター席からの声援を背負ってプレーする時とサポーター席に向かってプレーする時がありますが、どちらのほうがプレーしやすいですか？

古林　ゴールが決まった時にそのエリアの人たちと一緒に喜べるのはうれしいですよね。

鈴木　そういう意味では、サポーター側に攻めているほうがいいですよね。

古林　そう。ゴールを決めた時も一緒に喜びやすいし、一体感が出る。

松田　僕もサポーター席に向かって攻めていくほうがいいですね。

鈴木　あと、背にするか、向かっていくかというよりは、前

Takaba Yasuhiro

鈴木冬一（すずきといち）
2000年5月30日生まれ、大阪府出身。165cm・61kg
セレッソ大阪 U-12 ▶ セレッソ大阪 U-15 ▶ セレッソ大阪 U-18 ▶
長崎総合科学大学附属高校 ▶ 湘南ベルマーレ

半がベンチ側だとプレー以外の難しさもありますよね。

古林　それはある！ "サイドあるある" だよね。サイドの選手って監督から指示を受けたり、それを他の選手に伝えたりしなければならないからね。

松田　それはシャドーの選手もありますよ。

古林　ホームゲームでは前半がだいたい右サイドがベンチ側だから、右サイドの選手が伝達役になるんですよね。

鈴木　前半と後半では内容がだいぶ変わってきますよね。

古林　後半は気持ちを奮い立たせてくれるような言葉をかけられることが多いんですけど、前半は細かい指示が多いので、それを他の選手に正確に伝えなければならない難しさがあります。

——Shonan BMW スタジアム平塚ではピッチサイドにもファン・サポーターの方がいます。

鈴木　叫んでいる方もいますし、声援がダイレクトに伝わってきます。

古林　声はめっちゃ聞こえるから、励みになるよね。

——そんな方々も含め、スタジアムでファン・サポーターにぜひ見ていただきたい、攻撃時の注目ポイントを教えてください。

鈴木　今シーズンは「速攻と遅攻の使い分け」を課題にしています。ゆっくり攻めても崩せるし、速攻では前線に多くの選手が出ていくので、その2つをうまく使い分けられたら、僕らもより楽しくプレーできるし、見る人にも楽しんでいただけると思います。

古林　どんどん前に行くスタイルですからね。昨シーズンまでは引いて守る相手に対してなかなか攻撃できないシーンが多かったんですが、その課題にチームとして取り組んでいます。

松田　新しいベルマーレのスタイルだと思います。遅攻でも崩せるように取り組んでいるので、そこが今シーズンの注目ポイントですね。

——では最後に、攻撃面でのそれぞれの目標を教えてください。

鈴木　僕は開幕前、今シーズンは2桁アシストを記録したいと思っていました。開幕戦で2つアシストできたので、継続させていきたいですね。

松田　僕も目に見える結果が欲しいですね。昨シーズンは5ゴール5アシストという目標を掲げていたんですけど、4ゴール3アシストで達成できなかったので、もう一度チャレンジしたいです。あとは試合に出続けることですね。

古林　数字の目標を決めると焦ってしまうので、目の前にある試合を大事にしていきたいです。ガムシャラにやるのが目標です。それを続けることで結果がついてくればいいかな、と思っています。

SB

MF #28
Suzuki Toichi

Takaba Yasuhiro

［座談会］

富居大樹 × 福田晃斗 × 坂 圭祐

湘南ベルマーレの90分
❸つの見どころ ［守備編］

最後まで体を張り、激しいプレーでゴールを死守するのが湘南ベルマーレの守備の持ち味。
劣勢でも諦めないその姿勢が流れを呼び込み、やがて反撃の機会が訪れるという。
富居大樹、福田晃斗、坂圭祐の3人には、守備面での見どころを教えてもらおう。

取材・文＝池田敏明　Words by Ikeda Toshiaki
写真＝鷹羽康博、木村善仁(8PHOTO)　Photography by Takaba Yasuhiro, Kimura Yoshihito(8PHOTO)

見どころ❶　それぞれの持ち味

——まず、守備面でファン・サポーターの方々に見てほし
い、それぞれの自慢のプレーを教えてください。

福田　じゃあ、僕から自慢していいですか（笑）。僕は大柄
なほうではなく、守備の場面で相手と対面して競り勝つと
いうのはなかなか難しいので、相手の動きを予測して素早
くポジションを取り、相手がどこにトラップしそうか、どこ
にボールを運びそうか、どんな動きをするかを考えて、ボー
ル奪取をしたり、セカンドボールを拾ったりするのが自分
の得意なプレーです。

富居　自慢のプレーはないです（笑）。シュートストップで
すかね。派手なセーブというより、取れるボールをしっか
り取ることを心掛け、なるべく体の正面でボールを扱える
ようにポジショニングを取っています。昨シーズン終盤に
何試合か出させてもらいましたが、ボールを正面で受けら
れた回数は多かったという自負があります。派手なセーブ
をしたら「ナイスキーパー」と言われがちだと思いますけど、
僕としては派手なセーブはせず、体の正面で扱うプレーを
増やしていきたいというのがあります。

GK #1
Tomii
Daiki

派手なセーブより正面で扱うプレーを増やしたい

坂　僕は近くの味方にどんどんインターセプトを狙ってもらって、そのこぼれ球を拾ったり、カバーリングをしたりというのが得意なプレーです。周りの選手を生かすポジショニングや声掛けが持ち味だと思っています。

——坂選手は対人プレーや空中戦が強く、それが自慢のプレーだと思っていたので、意外な回答でした。

坂　それはまあ、目立つだけです（苦笑）。

——では、他の2人について、どのように評価しているかを教えてください。

富居　自分のことより、そっちのほうが言いやすいな。晃斗は、目立ちはしないけど、いてほしい場所にちゃんといてくれるし、気の使える選手ですね。

福田　恥ずかしいっすね（苦笑）。

富居　危機察知能力、状況を見る能力が長けているな、というのは後ろから見ていて感じます。「ここにいてくれたらいいな」という場所にいてくれるので、僕としては安心します。晃斗がいてくれることによってチーム全体のバランスが良くなり、前にも出て行けるし、守備の時にもうまく守れているので、僕としては頼もしい限りです。圭祐に関しては、ディフェンスすべての能力が高いと思いますし、ビルドアップもできるし、カバーリングもできるし、競り合いも強い。統率力もある。試合中、声が通りづらい時は圭祐がまとめてくれて、その前で晃斗がまとめてくれるので、チームとしてすごくバランスがいいですね。

福田　僕はまだそんなに長く一緒にはプレーしていないですけど、トミくんはポゼッションに入って行けるGKだと思います。チームとしてボールを持とうとする時、GKがポゼッションに関わることでポゼッションの時間が長くなるし、保持率も高くなるんですが、できなかったらボールを失う回数が多くなってしまいます。ポゼッションに欠かせない選手なのは間違いないですね。圭祐はロングフィードも蹴れるし、相手に競れる、コミュニケーションを取れるというところで、全体的に能力が高いと思います。

坂　トミくんは意思疎通しやすいというか、守備の考え方が自分と似ているので、すごくやりやすいというのを強く感じます。自分では「派手なセーブがない」と言っていましたけど、それが必要な場面では「それを止めるのか！」というぐらいビッグセーブを見せてくれるので、頼もしいGKです。晃斗くんは、気が利く選手ですね。晃斗くんがいなかったら中盤の3枚はキツくなるな、というぐらい。

福田　恥ずかしいな（苦笑）。

坂　いや、本当に。それは強く感じるし、守備だけではなく攻撃の能力も高いので、とりあえず晃斗くんが試合に出てくれ、という感じです（笑）。

福田　ありがとうございます！

見どころ❷　湘南の守備戦術

——昨シーズンまでと今シーズンを比較して、守備面での特に大きな変化はありますか？

坂　現時点でそれほど多くの試合をこなしていないので分からない部分はあるんですけど、フォーメーションが変わって最前線からプレスをかけに行かないケースもあるので、ある程度セットされた状態での守備の時間が増えたと思います。

富居　変わったというよりも継続的に取り組んでいることとして、自陣ゴール前で体を張る部分は、昨シーズンから引き続き取り組んでいます。新加入の選手は、最初の頃は「もう一歩寄せないといけないな」と見ていて感じることもありましたけど、意識付けができてきて、徐々に体が張れるようになってきたな、という印象はあります。

——福田選手はJ1開幕戦ではアンカーのポジションでしたが、かなり前に出てプレスをかけるシーンが多かった印象があります。その意図を教えていただけますか？

福田　元々、プレシーズンキャンプや練習試合ではインサイドMFをやっていたので、自分がアンカーのポジションだという意識はあまりないんですよ。敏さん（浮嶋敏監督）も

富居大樹（とみいだいき）
1989年8月27日生まれ、埼玉県出身。182cm・74kg
浦和木崎サッカースポーツ少年団 ▶ 浦和レッズジュニアユース ▶ 武南高校 ▶
東京国際大学 ▶ ザスパクサツ群馬 ▶ モンテディオ山形 ▶ 湘南ベルマーレ

Kimura Yoshihito(8PHOTO)

MF #15
Fukuta Akito

チームが積み上げてきた湘南らしい守備を表現したい

「真ん中をアンカー扱いはしない」ということを言っていたので、チャンスがあれば前に出ていくし、プレッシャーもかけに行きます。絶対に真ん中にいなければいけないという考え方ではないと思うので、臨機応変に自分のポジショニングを変えていくことも考えながらプレーしています。3枚のどこでプレーするかによって自分の中で考え方を少し変えますけど、中盤3枚はあまり形にとらわれずにプレーするというのが敏さんの求めるものなので、それを尊重しながらやっています。

——一方で、リトリート（自陣に引いて守備を固めること）する場面では中盤の3人が横一線になって最終ラインの前に並びますよね。

福田　前からプレスをかけて取りに行く時は陣形が崩れてしまうんですけど、リトリートしている時は僕が中央にいて、その前で相手にボールを回させるイメージになるので、あまり崩されることはないと思います。取りに行く時とリトリートする時と、試合中に臨機応変に変えながらやっています。

——坂選手のいる最終ラインは、スタート時は3バックですが、リトリート時には5バックになります。その狙いを教えてください。

坂　4バックだとそれぞれが守る横幅のスペースが広くなりますが、5枚になると自然に横幅が狭くなるので、お互いの距離が近くなってカバーリングに行きやすくなるし、行きやすくなれば相手へのチャレンジもしやすくなるので、その部分が狙いとしてあります。

——J1開幕戦では、坂選手の両隣にいる岡本拓也選手と大岩一貴選手がかなり積極的に攻め上がる場面もありました。その時に留意していることはありますか？

坂　リスク管理の部分は意識します。相手が前線に何人、残しているのかによって、こちらも自陣に残す枚数やどこに残すのかを考えなければならないですから。今シーズンのフォーメーションでは、そのバランスが崩れやすくなるので、今まで以上にリスク管理を考えるようになりました。

——湘南の3バックは坂選手や岡本選手のように、あまり大柄ではない選手が並ぶことが多いと思います。富居選手はGKとして気を付けている部分はありますか？

富居　セットプレーの時はどうしても高さがないぶん、ミスマッチが起きるんですが、気を付けようがないというか。一人ひとりが責任を持って相手に体を当てていくしかないと思います。インプレー中は、圭祐は背が低くても相手との競り合いで勝ってくれますし、たとえボールが抜けてきたとしても、その裏を自分でカバーできるように僕も狙っています。DF陣の背が高くないことをネガティブに感じることはあまりないです。

見どころ❸ スタジアムでの注目ポイント

——守備的な役割を担っていますが、それぞれご自身を起点に守備から攻撃に切り替わる瞬間もあると思います。その時に意識することを教えてください。

坂　できるだけ早く前に預けることを意識しています。2トップを見ることができれば2トップ、難しかったらトップ下を見ています。

福田　そうだよね。サッカーの基本は、どのチームもボールを奪ったら前を見てボールを展開することで、それが難しかったら少しずつ手前のポジションにパスを出すようにしていきます。僕たちにはカウンターで前線に出て行ける走力があるので、前にパスを出してウイングバックが攻め上がって、僕たち中盤の選手が追い越していくのが理想的な展開だと思うので、しっかり前線にパスを出すことを、この3人はみんな意識していると思います。

富居　僕も一緒ですね。ビルドアップの瞬間、まずはトップの選手を見ます。相手が前から来ている時は一発で裏を突けるようなボールを狙いますし、逆に相手が来ていない時は、タメをつくって落ち着かせることもあります。相手の動きに応じて使い分けるよう意識しています。GKでも得点

福田晃斗（ふくたあきと）
1992年5月1日生まれ、三重県出身。170cm・65kg
内部リバーズ F.C ▶ 四日市 JFC ▶ 名古屋グランパス U–15 ▶
四日市中央工業高校 ▶ 鹿屋体育大学 ▶ サガン鳥栖 ▶ 湘南ベルマーレ

相手への寄せやスピード感が湘南ならではの魅力

をアシストできるのが理想ですし、FWがゴールに向かえるようにしたい、という意識は常に持っています。

——では逆に、攻撃から守備に切り替わる瞬間に意識することを教えてください。

福田　まずはボールを奪いに行くことですね。敏さんも言っているんですけど、ボールに近い選手がまずプレスに行くし、奪われた選手が追い掛けるので、その状況に応じて動きます。僕がその1人目じゃなかったら、次にどこにボールが出てくるかを予測して準備をしますし、僕が相手ボールホルダーの近い場所にいたら、1人目としてアタックすることを考えます。

坂　僕のポジションは、自分が積極的にボールを奪いに行く機会は少ないと思うので、チームメートにプレスに行かせることと、カバーリングの穴がないかどうかを見極めて、カバーが遅れているところがあったらコーチングしてポジション補正させるようにしています。

富居　僕はリスク管理をします。奪われた瞬間、ロングボールを裏に出される可能性があるので、DFの背後を狙ってくる可能性をまず頭に入れます。そこから状況に応じて動きます。蹴ってこないのであればDF陣に声を掛け、自分のポジションを下げて備えます。

——今シーズンからJ1ではVARが導入され、守備の選手にはこれまで以上に正当な守備技術の高さが求められるようになったと思います。意識や技術の部分で改善させなければならない部分はありますか？

坂　インプレーの時はそんなに意識していません。特別意識するのはセットプレーの時ぐらいですね。相手のユニフォームを引っ張らないようにしようとか、その程度で、気にしすぎてもだめだと思うので。J1開幕戦でも、そこまで意識はしていませんでした。

富居　僕も全く気にしていませんでした。逆に最後までやり切っておけば、ゴールなのかどうか、PKなのかどうかはVARがちゃんと見てくれるし、正当なアタックができていれば相手がシミュレーションを取られるなど、守備側にとっ

てプラスになることもあります。最後まで映像で確認してもらえるところがプラスになると思っています。

福田　圭祐も言っていましたが、インプレーの時は意識しても仕方ないと思います。気を付けるのはセットプレーの時ですね。攻撃側が動き回ると捕まえづらく、手で触らざるを得なくて引っ張ってしまいPKということもあるので、それは気を付けないといけないと思います。相手が嫌がる動きをして、それをどう抑えるかといった駆け引きはこれから出てくるでしょうね。

——では最後に、スタジアムでファン・サポーターの方々に見てほしい、チームとしての守備時の注目ポイントを教えてください。

福田　湘南のイメージは激しくボールを奪いに行く、ガツガツ行くというのがあり、その姿勢を失ってしまってはいけないと思います。その姿勢がベースにあってこそ敏さんが植え付けたプラスアルファの部分が生きると思います。僕は新加入選手ですが、ピッチに立った時には湘南が今までやってきたこと、積み上げてきたものにしっかり乗っかって、湘南らしい守備を表現したいです。球際の激しさ、セカンドボールの奪い合いを制するという部分は僕の持ち味でもあるので、しっかりこだわってやっていきたいです。

坂　ボール1個のところまで体を寄せるところ、カウンターを受けた時に前線や中盤の選手が自陣に戻る時のスピード感が湘南ならではの魅力だと思うので、そこは注目してほしいです。

富居　2人が言っているように、体を張る部分、球際で激しく行く部分は湘南の持ち味ですし、はつらつとしたプレーは見ている人にも伝わると思います。ゴール前で僕を含めた後ろの選手、中盤の選手が体を張り続ければ試合の雰囲気が良くなりますし、そうやって耐え続けていればその後の反撃や得点にもつながるはずです。攻撃されているから「ちょっと危ないな……」と感じるのではなく、逆に「今、守備をしているから湘南のペースだな」と思ってもらえれば、試合の見方も変わってくると思います。　SB

坂 圭祐（さかけいすけ）
1995年5月7日生まれ、三重県出身。174cm・74kg
内部リバーズ F.C ▶ 四日市市立内部中学校 ▶ 四日市中央工業高校 ▶
順天堂大学 ▶ 湘南ベルマーレ

DF #4
Saka Keisuke

対談 岩崎悠人 × 金子大毅

3年後の再会

共に1998年生まれ、高校選手権で対戦した岩崎悠人と金子大毅。
プロ入り後のキャリアは満足できるものではなかったようだが、
今シーズンを飛躍の年にするために、静かに闘志を燃やしている。

取材・文＝池田敏明　Words by Ikeda Toshiaki
写真＝鷹羽康博、兼子慎一郎、木村善仁（8PHOTO）　Photography by Takaba Yasuhiro, Kaneko Shin-ichiro, Kimura Yoshihito（8PHOTO）

"黒子"的な大毅が
めちゃめちゃウザかった

――今日はペアルックっぽい私服ですね。
岩崎　色カブってるわ～。
金子　合わせてきました（笑）。
――この2人の組み合わせと言えば、第95回全国高等学校サッカー選手権大会の1回戦で対戦した（2016年12月31日、金子が所属する市立船橋高校が1-0で岩崎の京都橘高校を下した）ことを覚えているファンも多いと思います。試合では岩崎選手がFW、金子選手がセンターバックで直接マッチアップしましたが、当時の印象を教えてください。
金子　悠人のことはもちろん試合前から警戒していて、「岩崎がボールを持ったら激しく行け」という指示は出ていたんですけど、実際にマッチアップしてみたら本当にすごくて、（チームが）負けなくてよかったな、という感じでした。
――特にどのあたりにすごさを感じましたか？
金子　それまでに感じたことのない馬力がありました。「このタイミングなら絶対にボールを奪える」と思って当たりに行ってもパワーでねじ伏せてきて、そこが一番、驚きました。当時の市立船橋にはボールを奪うのがうまい選手が多

かったんですけど、悠人と、2トップを組んでいたもう1人の選手（堤原翼／現京都産業大学）にうまくボールを収められて、試合の流れを持っていかれましたね。
岩崎　と言いつつ、大毅は俺のことをつぶしに来ましたからね。あの時の市船と言えば杉岡（大暉／現鹿島アントラーズ）、原（輝綺／現サガン鳥栖）。年代別代表に入っていましたし、スカウティングの時もこの2人についての内容が多かったんですけど、実際に対戦してみて、この2人を気にすればするほど、"黒子"的な大毅がめちゃめちゃウザかったですよ（苦笑）。杉ちゃんとテルがいないところから攻めようと思っても、真ん中に（金子が）いて、1対1になると変態的なボールの奪い方をしてきたので、あの試合では大毅が一番、印象に残っている選手ですね。
――岩崎選手はインスタグラムのストーリーで、この試合でマッチアップしている場面や「今は仲良し」の文字を入れた最近の画像を公開していましたよね。
金子　今は仲良くやっています。
岩崎　当時はバチバチでしたけど（笑）。こんなに早いタイミングで一緒にプレーすることになるとは思っていなかったので、不思議な感じです。
――プライベートで一緒に過ごすことは？
岩崎　お互いの家で鍋を食べたり、一緒にカフェに行ったりしています。湘南の海へはまだ行っていないですね。こ

" 湘南スタイル " は見る人に感動を届けられる

れからじゃないですかね。同い年の選手の中でも比較的、仲はいいですね。大毅は"宇宙人"って言われているんですけど、僕も変わっている部分があるからなのか、一緒にいて気楽に過ごせますね。

——金子選手が"宇宙人"と呼ばれる理由が垣間見えることはありますか？

岩崎　みんな「話が通じない」と言うんですけど、僕は全然そうは思わないですね。

金子　みんなが大げさに言っているだけですよ、絶対（苦笑）。抜けているところはあると思うんですけど、慣れれば普通だと思います。

——岩崎選手は今年、北海道コンサドーレ札幌からの期限付き移籍でベルマーレに加入しました。どのような思いでチームの一員になったのでしょうか。

岩崎　実は高校からプロ入りするタイミングでもベルマーレに行きたい気持ちがあったんですよ。今回は期限付き移籍ですけど、自分のスタイルに合うサッカーをしているので、自分の特徴を生かせるはずだと思いました。

——チームメートになって、あらためて分かったお互いの選手としての特徴はありますか？

岩崎　高校時代に対戦して嫌だった印象がすごく強かったんですけど、トレーニングマッチをした時もボールを奪う力がめちゃくちゃあって、すごいと思うシーンが多いですし、意外とボールを受ける時のポジショニングがいい。ボールを奪えるだけじゃなく、つなぎ役もできるという、そういう一面があるんやなって実感しましたね。

金子　悠人は、やっぱりボールを持った時のスピード感はすごいですね。悠人が持ってくれればチーム全体がスピードアップできて前に行けるなっていうのがあります。あと、高校時代は1人で突破してミドルシュート、というプレーが多く、クロスに合わせるプレーはあまり見たことがなかったんですけど、クロスボールにダイレクトに合わせるプレーも見せていて、合わせるのがうまいんだなって思いました。

長くプロを続けるには
ゴールやアシストも必要になる

——岩崎選手は3年間、金子選手は2年間をプロで過ごしてきました。これまでのキャリアを自己評価していただけますか。

岩崎　高卒で京都サンガF.C.に入りましたが、なかなか思いどおりの結果が出ず、自分のプレーができないことも多かったです。昨シーズンは札幌に移籍しましたが、あまり試合に出られず、苦しい時間のほうが長かったですね。今年は新しいチャレンジとして湘南に来て、今まで苦しんできたぶん、自分の特徴を生かしたプレーができればいいな、と思っています。

金子　チームとしてルヴァンカップで優勝したり、残留争いをしたりといろいろな経験ができたんですけど、個人としてはもっと成長できると思うし、チームとしても残留争いをしない順位で戦いたいと思っているので、今年はもっと上の順位を目指して戦う中でチームに貢献したいと思っています。

Takaba Yasuhiro

岩崎悠人（いわさきゆうと）
1998年6月11日生まれ、滋賀県出身。173cm・70kg
金城JFC ▶ JFAアカデミー福島 ▶ 彦根市立中央中学校 ▶ 京都橘高校 ▶
京都サンガF.C. ▶ 北海道コンサドーレ札幌 ▶ 湘南ベルマーレ

FW #20
Iwasaki
Yuto

MF #2
Kaneko Daiki

今まで以上にチームの勝利に貢献することが大事

——ここまでのプロキャリアを振り返って、自分の中で特に成長したと感じる部分を教えてください。

岩崎　高校時代はわがままなプレーというか、自分中心のプレーをしていたんですけど、プロは周囲のレベルが高いので、周りと合わせることを意識しながらプレーする部分は成長したかな、と思います。

金子　パッとは思いつかないですね……。守備が自分の特徴だと思っているんですが、そこが成長したかと聞かれると疑問です。負けたくないな、とは思っていますが。

——では逆に、改善させなければならない課題点を教えてください。

岩崎　札幌ではチームの戦術の中で周囲に合わせるプレーが増えたんですけど、その中で周りに合わせようとしすぎて自分のプレーを見失ったり、自信がなくなったりした部分があるので、もっとゴールに向かう動きを増やしたいと考えています。高校時代のプレーとプロに入ってからのプレーをミックスさせて、バランスよくできればいいのかな、と思っています。

金子　僕はもっと味方と連係してボールを奪えるようになりたいですし、攻撃面では後ろと前のリンク役になって、効果的なパスを増やしていきたいです。長くプロを続けるにはゴールやアシストも必要になってくると思うので、目に見える結果を出していかないといけないなと思います。

——お2人とも1998年生まれで、同年代でプロになった人の中には冨安健洋選手（ボローニャ）や堂安律選手（PSV）、食野亮太郎選手（ハーツ）のように、海外クラブや日本代表で活躍する選手もいます。その中で、自分の現在地をどのように見ていますか？

岩崎　律とかは中学生の頃からずっと意識してきた存在なので、今ああやってA代表に入って海外で活躍している姿を見ると、すごくうらやましいというか、焦る気持ちもあります。自分も早く海外でプレーしたいという思いもありますが、まずは湘南で、Jリーグで結果を残して、タイミングが来た時にしっかりステップアップできるように準備するしかないなと思っています。

金子　A代表に入っている人、年代別代表に入っている人もいますけど、自分は入れていないので悔しい気持ちはあります。ただ、他人と比較してもあまり意味はないので、ま

ずは湘南で地道に努力して試合に出て、チームに貢献することが一番大事かな、と思います。

——今後のキャリアはどのようにイメージしているのでしょうか。

岩崎　僕自身、海外志向がすごく強くて、過去に海外のチームと対戦した時にも「自分は海外向きなのかな」と感じることが多かったので、海外に行って、A代表に入りたいですね。A代表の試合が一番、多くの方々に見てもらえると思うので、その舞台に立って、今までお世話になった方々に恩返ししたいと思っています。

金子　明確なイメージはないですし、目標もないんですけど、とにかく今を頑張りたいですね。

——ちなみに、海外で好きなリーグやチーム、プレーを参考にしている選手はいますか？

岩崎　どこ、というのは特にないですけど、エデン・アザール（レアル・マドリード）のプレーはよく見ています。プレー

Takaba Yasuhiro

金子大毅（かねこだいき）
1998年8月28日生まれ、東京都出身。177cm・67kg
烏山北FC ▶ FCトッカーノ ▶ 市立船橋高校 ▶ 神奈川大学 ▶ 湘南ベルマーレ

Kaneko Shin-ichiro

Kaneko Shin-ichiro

Kaneko Shin-ichiro

Iwasaki Yuto × Kaneko Daiki

スタイルはあまり似ていないかもしれないですけど、ああやって自分でゴールを決められてチャンスメークもできる選手になりたいという気持ちがありますし、今、取り組んでいるトレーニングを突き詰めていったところにアザール選手のようなスタイルがあるので、そこを目指していきたいですね。

金子　特定のチームはないですけど、リヴァプールの試合は見る機会が多いですし、やっぱり中盤の選手のプレーは見て参考にしています。

——それぞれが思い描いている今後のキャリアを現実のものにするために、今シーズンは何をする必要があると考えていますか？

岩崎　当たり前のことですが、チームで結果を残して、東京オリンピック（注：2021年に延期）に絡むことだと思います。みんなが注目する舞台に立って、海外のクラブからオファーをもらえるぐらいになりたいですね。

金子　さっき言ったプレー面の課題を修正することが大事ですし、やっぱり今まで以上にチームの勝利に貢献する

ことが大事だと思います。

——Shonan BMW スタジアム平塚に来てくれるファン・サポーターの方々に、どんな姿を見せたいと考えていますか？

岩崎　世の中、暗いニュースが多いと思うんですけど、その中で自分たちの戦う姿をファン・サポーターの方々に見せたいですね。"湘南スタイル"は見る人に感動を届けられるものだと思うので、アグレッシブなプレー、諦めない気持ちを前面に出していければいいなと思います。暗いニュースが多い中、サッカーで社会を盛り上げていきたいと思っています。

金子　いつJリーグが再開するかは分からないですけど、チームとして練習して、開幕戦以上のチーム状態にして、再開された時にはしっかり勝ちたいです。さっきも言ったとおり、最近は毎年、降格争いでファン・サポーターの方たちにも苦しい思いをさせてしまっているので、少しでも上の順位に行きたいですし、少しでも勝ち星を増やせるように頑張っていきたいです。

SB

59

自宅での楽しい過ごし方は？

自宅で何をしている時が一番楽しいか全選手に聞いてみました。

選手写真＝湘南ベルマーレ　Photography by Shonan Bellmare

1 GK
富居大樹
Tomii Daiki

子どもと一緒にストレッチをしている時。最初は1人でストレッチをしていたら、上の子がまねをして一緒にするようになって、その後に下の子が上の子のまねをして3人でするようになりました。

2 MF
金子大毅
Kaneko Daiki

ドラマを見ている時。以前見ていたドラマをもう一度見るのが面白いです！

3 DF
馬渡和彰
Mawatari Kazuaki

家族で過ごしている時。家族の笑顔溢れる時間は一番楽しいです。

4 DF
坂 圭祐
Saka Keisuke

Nintendo Switch の『リングフィット アドベンチャー』をやっている時。遊びながら運動ができてすごくいいです！

5 MF
古林将太
Kobayashi Shota

家族でおうちBBQ！ 屋上でやると家の中とは違い雰囲気が変わり、子どもたちも楽しそう。家族で過ごしている時が一番のリラックスです。

6 DF
岡本拓也
Okamoto Takuya

家族でNetflixの『フルハウス』を見ることにハマっています！

7 MF
梅崎 司
Umesaki Tsukasa

好きな音楽を聴いたり、子どもたちが遊んでいるのを横目で見たりしながら、自分でドリップしたコーヒーを飲む時間。

8 DF
大野和成
Ohno Kazunari

長男が読むオリジナルの内容の絵本を次男と一緒に聞くこと。

9 FW
指宿洋史
Ibusuki Hiroshi

学びの時間と、家族との時間、映画鑑賞です。子どもの日々成長していく姿や豊かな表情に幸せを感じます。勉学ではサッカー界以外の知識が増えていき、他の分野のプロフェッショナルから教わることで刺激をもらえます。映画も同じくスクリーンを通して知らない世界を体験できることに魅力を感じます。

10 MF
山田直輝
Yamada Naoki

家族で遊んでいる時。自粛期間中は、ごっこ遊びやフェイスペイント、家庭菜園、お絵描きなど普段できないことを家族でたくさんしました。

11 FW
タリク
Tarik El Younoussi

小さい娘と一緒にトレーニングをしている時。娘がちょうどいい重りになってくれます。

13 FW
石原直樹
Ishihara Naoki

自宅で子どもが勉強している時に、自分はペン字や英単語の勉強をするために机に向かう時間ができて楽しかったです。子どもたちも喜んでいました。

14 MF
中川寛斗
Nakagawa Hiroto

子どもと朝、おもちゃで遊んでいる時。いつも起きたらまずは子ども部屋で遊びます。特にトミカの車で遊んでいる時が一番楽しいです。

15 MF
福田晃斗
Fukuta Akito

長男の自転車の練習をしている時。最近購入した自転車に一生懸命乗っている背中を見て、大きくなったなーと感じる。その背中がたまらない（笑）

16 MF
齊藤未月
Saito Mitsuki

自炊で作り置きメニューをたくさん考えることにハマってます！

17 FW 大橋祐紀 Ohashi Yuki

熱中できる何かを発見できた時が楽しいです。発見できたかと言われると……できてないです(笑)

18 MF 松田天馬 Matsuda Temma

お風呂に浸かりながらYouTubeでモデルハウスやDIYの動画を見ること。興味があるので見てて楽しいです!

19 DF 舘 幸希 Tachi Koki

お風呂に入っている時。いろいろな種類の入浴剤をネットで購入して、動画を見ながら長風呂しています。

20 FW 岩崎悠人 Iwasaki Yuto

家で音楽を聴いている時! ノリノリな曲がかかると首と肩がよく動いちゃいます(笑)

21 GK 後藤雅明 Goto Masaaki

自宅でのんびり映画を見たり漫画を読んだりしている時。活動休止の期間に見て良かったのは『アリー/スター誕生』。漫画は『ヒロアカ(僕のヒーローアカデミア)』です!

22 DF 大岩一貴 Oiwa Kazuki

初めて『スラムダンク』のアニメを見てハマりました! 僕は彩ちゃん派です!(マネージャーが2人いて、どっち派かという話です笑)

23 MF 茨田陽生 Barada Akimi

子どもと家で隠れんぼしている時。子どもなりに考えていろいろなところに隠れたり探したりする姿が面白くてかわいい!

24 MF 澤田 恒 Sawada Ko

テレビを捨ててプロジェクターを買ったので、夜に映画やYouTubeを見るのがマイブーム! オススメです。

25 GK 谷 晃生 Tani Kosei

映画やドラマを見ている時。最近は韓国ドラマにハマってます。『梨泰院クラス』と『愛の不時着』はレベルが高すぎました。

26 DF 畑 大雅 Hata Taiga

本を読んでいる時。最近、『その1秒をけずりだせ 駅伝・東洋大スピリッツ』という本を買い、そこから本にハマりました!

28 MF 鈴木冬一 Suzuki Toichi

ボールでリフティングしてる時。種類の違うボールが4つくらいあるので重さや大きさを感じてリフティングをするのがすごく楽しいです。

29 MF 三幸秀稔 Miyuki Hidetoshi

なかなか外に出られなかったので懸垂ラックを入手して、毎日やるたびに体がスンって上がるようになり、筋トレ後、シャワーを浴びて、さっぱり、すっきりして家で一番お気に入りの定位置のソファでコーヒーを飲みながらテレビを見る……というルーティーンにハマってます!

30 MF 柴田壮介 Shibata Sosuke

新しく買った器具を使って筋トレすることにハマってます。いろいろな重さに変えられるダンベルで上半身を中心に鍛えてます!

31 GK 堀田大暉 Hotta Daiki

腹筋ローラーを入手して鍛えています。腹筋がしっかり割れてきました!

38 DF 石原広教 Ishihara Hirokazu

PS4の『Dead by Daylight(デッドバイデイライト)』をしている時。最近は野田隆之介選手(京都サンガF.C.)や山口和樹選手(FC琉球)とオンライン通信してます!

44 DF 毛利駿也 Mouri Shunya

夜ストレッチをしながらYouTubeを見ている時。寝る前の日課で落ち着きます。

SHONAN BOOK
ISSUE 02

湘南ブック ISSUE 02

発行人・編集長
大西 徹　Onishi Toru

表紙写真
鷹羽康博　Takaba Yasuhiro
木村善仁（8PHOTO）Kimura Yoshihito（8PHOTO）

発行
株式会社アトランテ
105-0003 東京都港区西新橋2-4-3-6F
https://atlante.jp
☎03-6403-0370
E-mail support@atlante.jp

編集
池田敏明　Ikeda Toshiaki

デザイン
大池 翼　Oike Tsubasa

協力
株式会社湘南ベルマーレ

発行日　2020年6月27日